MON CHAT

Texte de Mark Evans

TRADUIT DE L'ANGLAIS PAR
JEAN DELAMARE

SEUIL

UN LIVRE DORLING KINDERSLEY

Responsables de l'édition originale :
Liza Bruml, Jane Coney, Miriam Farbey,
Rebecca Johns, Paul Bricknell,
Sally Hynard et Peter Visscher.

Réalisation de l'édition française :
Graphisme et Illustrés, Seuil

Texte de Mark Evans
Traduit de l'anglais par Jean Delamare

Titre original : *Kitten*
© 1992 Dorling Kindersley Ltd., 9 Henrietta Street,
Covent Garden, London WC2E 8PS, Angleterre,
pour l'édition originale.
© 1992 Mark Evans, pour le texte.
© Octobre 1992 Éditions du Seuil, 27, rue Jacob, 75006 Paris,
pour la traduction française.

Reproduction en couleurs par Colourscan, Singapour.
Imprimé en Italie par A. Mondadori Editore, Vérone.
Dépôt légal : Octobre 1992. N° 17560
ISBN 2.02.017560-6
(Édition originale : ISBN 0-86318-901-6.)

Mannequins : Narada Bernard, Jacob Brubert, Martin Cooles,
Louisa Hall, Corinne Hogarth, Thanh Huynh, Gupreet Janday,
Jason Kerim, Nathalie Lyon, Rachel Mamauag, Paul Mitchell,
Florence Prowen, Isabel Prowen, Jamie Sallon,
Maia Terry, Lisa Wardropper

Dorling Kindersley remercient :
Jane Burton, Wood Green, Christopher Howson, Bridget
Hopkinson, Louise Pritchard et Lynn Bresler.

Crédits photos :
Jane Burton 28 b, 29 cd, 35 cd, 40 hd, b, 41 hg, cg, bg, bd;
Dave King 17 bc; NHPA/Stephen Dalton 12 hd;
NHPA/Manfred Danegger 13 hg; NHPA/Gerard Lacz 16 hc, 17 bd;
Steve Shott 34 hd.

Aux parents

Ce livre apprend à votre enfant comment devenir le maître affectueux et responsable d'un animal familier. Mais rappelez-vous qu'il aura aussi besoin de votre aide et de vos conseils pour tout ce qui concerne les soins quotidiens de l'animal. Ne le laissez pas avoir un chat si vous n'êtes pas sûrs que votre famille a le temps et les moyens de s'en occuper correctement pendant toute sa vie.

Sommaire

Introduction

La première chose à faire pour devenir un bon maître, c'est de bien choisir son chat. C'est son comportement qui est le plus important, bien plus que son apparence ou que son âge. Il va devenir ton meilleur ami. Vous passerez beaucoup de temps à jouer ensemble. Mais rappelle-toi que tu devras t'en occuper chaque jour, et pendant sa vie entière.

Tu devras acheter des choses spécialement pour ton chat

Comprendre ton animal
En l'observant soigneusement, tu apprendras sa façon de communiquer. À un petit coup de queue, à un mouvement de ses oreilles, tu sauras s'il est heureux ou triste. Et tu comprendras vite ce qu'il veut dire lorsqu'il miaule ou ronronne.

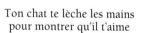

Ton chat te lèche les mains pour montrer qu'il t'aime

Prendre soin de lui
Tu ne seras vraiment le meilleur ami de ton chat que si tu t'en occupes correctement. Tu devras t'assurer qu'il mange bien, qu'il a toujours de l'eau à boire et qu'il prend de l'exercice chaque jour. Tu devras aussi faire sa toilette et essayer de le dresser.

Tu devras faire sa toilette tous les jours

Tout ce que tu feras avec lui
Ton chat adore jouer avec des jouets.
Mais il aime par-dessus tout les jeux
de poursuite et les sauts : ils l'aident
à exercer ses talents
de chasseur.

Ton chaton va
attraper le jouet

Tu devras aller régulièrement
chez le vétérinaire

Ceux qui t'aideront
Le meilleur des maîtres essaie toujours
d'en savoir plus sur son chat. Tu peux
poser à ton vétérinaire toutes
les questions qui te préoccupent
à propos de la santé de ton chat.

Un nouveau membre de la famille
Un chat est un animal très indépendant.
Mais si tu t'en occupes bien, il sera très
heureux de faire partie de la famille. Il
peut même devenir un ami pour certains
de tes autres animaux. Tu peux le dresser
à obéir aux règles que tu lui imposeras.

À ne pas oublier
Quand tu vis avec un chat, il y a
des règles importantes à suivre :

❧ Lave-toi les mains après avoir
caressé ton chat ou joué avec lui.

❧ Ne lui permets jamais de manger
dans ton assiette.

❧ Ne le laisse jamais monter sur
la table où vous prenez vos repas.

❧ Ne le laisse pas aller sur ton lit.

❧ Si ton chat dort profondément,
ne le réveille pas en sursaut.

❧ Ne le taquine pas et ne le frappe
jamais.

👫 **Demande
à un adulte**
Quand tu vois ce
dessin, c'est qu'il
faut demander
à un adulte de
t'aider.

Ton chat fera partie de
ta famille

Qu'est-ce qu'un chat ?

Les chats appartiennent à une classe d'animaux appelés mammifères, qui ont tous le sang chaud et le corps recouvert d'un pelage. Quand ils sont jeunes, leurs mères les allaitent. Les chats ne sont pas tous pareils. Ils peuvent être grands ou petits, avoir des poils longs ou courts. En grandissant, ils acquièrent des sens très aigus et un corps souple et athlétique.

La vie sur quatre pattes

Chaque partie du corps de ton chat joue un rôle particulier. Son pelage lui tient chaud. Son corps svelte lui permet de se faufiler partout et de contourner les obstacles. Ses pattes de derrière sont puissamment musclées; il peut ainsi sauter très haut et courir très vite. Sa longue queue l'aide à se maintenir en équilibre.

Son oreille s'oriente dans toutes les directions pour capter les bruits

Ses épaules étroites lui permettent de se glisser dans de tout petits passages

Sa fourrure épaisse lui tient chaud

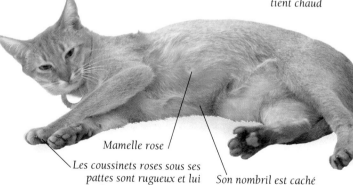

Mamelle rose

Les coussinets roses sous ses pattes sont rugueux et lui donnent de l'adhérence

Son nombril est caché par les poils

Ses griffes sont maintenues dans un fourreau de peau

Sous son ventre

Regarde de près le ventre de ton chat. Tu verras qu'il a un nombril aplati. Compte les mamelles si c'est une maman chat; il y en a généralement huit, que les petits tètent pour boire le lait.

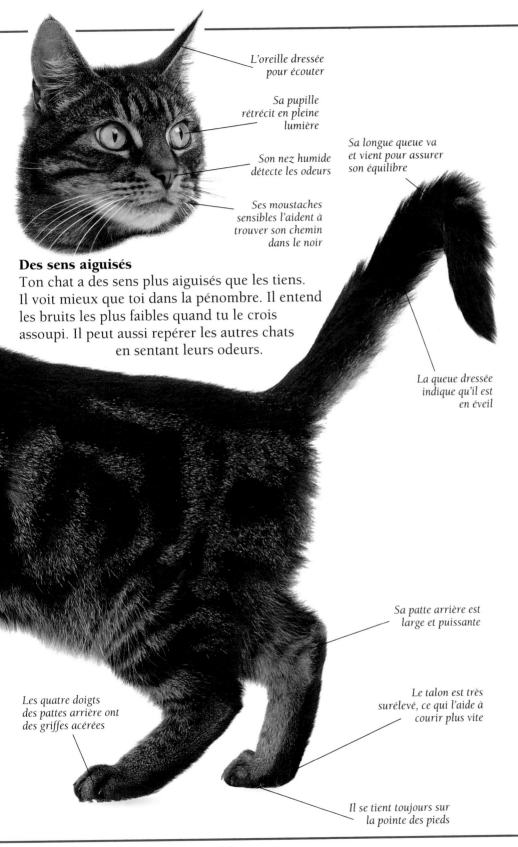

L'oreille dressée
pour écouter

Sa pupille
rétrécit en pleine
lumière

Sa longue queue va
et vient pour assurer
son équilibre

Son nez humide
détecte les odeurs

Ses moustaches
sensibles l'aident à
trouver son chemin
dans le noir

Des sens aiguisés

Ton chat a des sens plus aiguisés que les tiens.
Il voit mieux que toi dans la pénombre. Il entend
les bruits les plus faibles quand tu le crois
assoupi. Il peut aussi repérer les autres chats
en sentant leurs odeurs.

La queue dressée
indique qu'il est
en éveil

Regarde ton chat de près

Ses dents pointues, les
canines, lui servent à
saisir la nourriture

Ses pupilles noires
changent de forme selon
l'intensité de la lumière

Les griffes crochues
sortent de leur
fourreau

Les cinq doigts des
pattes de devant sont
protégés par des
coussinets

Les fines aspérités de
sa langue lui servent
à désosser la viande et
à nettoyer son pelage

Sa patte arrière est
large et puissante

Le talon est très
surélevé, ce qui l'aide à
courir plus vite

Les quatre doigts
des pattes arrière ont
des griffes acérées

Il se tient toujours sur
la pointe des pieds

11

La vie à l'état sauvage

Les chats font partie de la famille des félidés qui comprend aussi des animaux sauvages comme le tigre ou le puma. Il y a très longtemps, de petits chats sauvages se mirent à tuer les souris et les rats qui dévoraient les céréales. Les hommes les prirent en affection et les chats devinrent bientôt des animaux familiers.

Chat sauvage européen

Toujours sauvages

Le chat européen, comme la plupart des chats sauvages, est très farouche. Bien qu'il ressemble à un chat domestique, il est si craintif qu'on ne peut l'apprivoiser. Celui d'Afrique du Nord est plus hardi. C'est pourquoi il passe pour l'ancêtre de notre chat.

Le chat sauvage à longs poils a un pelage sale et broussailleux

Il s'accroupit pour bondir audacieusement

Assis, il observe tous les autres chats de gouttières

Il guette cruellement, sans se lasser

Le vieux chat s'allonge, mais reste aux aguets

*La lionne reste
près de ses petits*

Troupes de lions

Certains grands félins, comme le lion,
vivent en bandes qu'on appelle troupes.
Les animaux que les lions chassent sont
grands et difficiles à attraper : mieux vaut
les chasser en équipe. Il y a parfois jusqu'à
vingt lions dans une troupe.

*Tes parents t'aideront à
établir les règles auxquelles
ton chat devra obéir*

Chats de gouttières

Les chats qui vivent à l'état sauvage dans les
villes ou à la campagne sont appelés chats harets.
Ils vivent souvent en bandes. Pour se nourrir, ils
chassent de petits animaux et mangent des
déchets. Quand il n'y a pas assez de nourriture,
certains quittent leur bande. Ceux qui restent
ensemble se disputent parfois la nourriture.

*Le chaton cherche
un compagnon
de jeu*

*Le chat aux
aguets a la
queue dressée*

De nouveaux amis

Les hommes sont de précieux amis
pour les chats : ils ne leur disputent pas la
nourriture! Au contraire, ils leur donnent
à manger, leur installent un coin bien chaud
pour dormir et brossent leur pelage.
Bien que la plupart des chats soient
indépendants, ils sont heureux
de faire partie d'une famille.

*Ce chat s'allonge tandis que
les autres restent en éveil*

Les races de chats

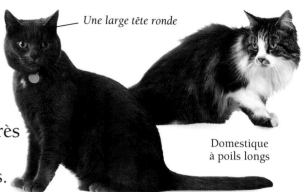

Il y a bien longtemps, les hommes se mirent à sélectionner les chats. Ils choisirent ceux qui avaient une longue fourrure, par exemple, ou de belles couleurs. Beaucoup de races très différentes d'aspect apparurent. Les bâtards sont un mélange de ces races.

Une large tête ronde

Domestique à poils longs

Domestique à poils courts

Les chats domestiques
La race la plus répandue est celle des chats domestiques. Ce sont tous des croisés ou des bâtards. Ils ont une grande et grosse tête. Certains ont le poil long, d'autres l'ont court et lisse.

Grandes oreilles pointues

Le siamois
Il a une fourrure courte, le corps mince et la tête pointue. Il est très affectueux et miaule beaucoup.

Pelage doux et soyeux

Siamois

Son beau pelage sèche vite

Nez court

Le persan
Il a une fourrure très longue et très douce, la tête ronde et aplatie. Il est souvent moins affectueux et enjoué que les autres chats.

Chat turc

Le chat turc
Son pelage est particulièrement soyeux. Contrairement aux autres chats, il aime jouer dans l'eau. On l'appelle souvent le turc nageur.

Persan

Une tache brun foncé en forme de losange

Birman

La fourrure est épaisse et soyeuse

Le pelage est lisse et luisant

Burmese

Le chat de Birmanie
Il est plein d'attention et très sociable; il ressemble au siamois mais son pelage est plus long.

Maine coon

Le Maine coon
Grand et fort, il a un pelage broussailleux. C'est un adorable compagnon

Le burmese
Très proche du siamois, il a une tête plus ronde. Il est plein de vitalité et est très affectueux.

La poupée de chiffon
Grand et aimable, il ressemble au birman. Mais si tu en attrapes un, il se laissera prendre mollement comme une poupée de chiffon.

Poupée de chiffon

Queue longue et touffue

La fourrure est très longue sur le torse et le ventre

L'abyssin
Il est superbe, avec un corps très allongé, des pattes minces et de grandes oreilles. Éveillé et intelligent, il est souvent très bruyant.

Fourrure courte et épaisse

Maman abyssin et ses chatons

Du chat de race au bâtard

Deux chats de même race ont un chaton de race pure

Un chat de race pure ressemble à ses parents

Deux races différentes donnent un chat croisé

Un chat croisé est un mélange de ses parents

Deux croisés donnent un bâtard

Chaque bâtard a un aspect légèrement différent

15

Choisir son genre de beauté

On retrouve les mêmes caractéristiques d'ensemble chez tous les chats. Mais la dimension, la forme et la couleur de chacune des parties du corps sont différentes. Ne choisis pas ton chat seulement pour sa beauté. Tiens compte de son comportement. N'oublie pas qu'il sera un ami pour la vie.

Scottish fold

Domestique à poils courts

Birman

Maine coon

Domestique à poils courts

Persan

Tonkinois

Les formes de tête

La plupart des chats ont une tête ronde et une figure large. Mais les persans ont une grande tête et la figure aplatie. D'autres chats ont la tête étroite et la figure pointue.

Grandes ou petites oreilles ?

Les chats peuvent avoir différents types d'oreilles. Les bâtards les ont en général petites et pointues. Les chats originaires des pays chauds ont souvent de grandes oreilles. Certains ont les oreilles poilues, d'autres sans poils du tout.

Les couleurs du pelage

Le pelage d'un chat peut être d'une seule couleur – noir, blanc ou marron, par exemple. Il peut aussi être un mélange de deux ou plusieurs couleurs. Quand il est roux et noir, on dit que c'est un pelage écaille de tortue.

Queue écaille (de tortue)

Dos blanc

Pelage noir

Dos noir

Patte blanche

Bicolore

Écaille et blanc

Unicolore noir

Les dessins du pelage

Certains chats ont un dessin moucheté sur tout le pelage. D'autres, qu'on dit tabby, ont des rayures; d'autres, un pelage marbré. Les taches sombres sur les oreilles, la figure, les pattes ou la queue sont appelées des marques.

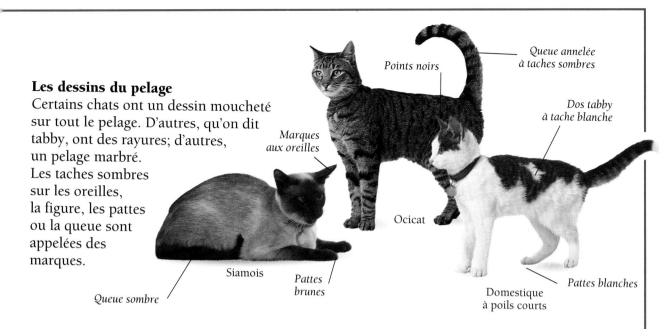

Queue annelée à taches sombres

Points noirs

Dos tabby à tache blanche

Marques aux oreilles

Ocicat

Siamois

Queue sombre

Pattes brunes

Domestique à poils courts

Pattes blanches

Poils longs et soyeux

Pelage court et lisse

Birman

Domestique tigré et blanc

Leurs coiffures

La fourrure peut avoir différentes longueurs. La plupart des chats ont un poil court, facile à entretenir et qui ne fait pas de nœuds. Les chats à poils longs ont des pelages soyeux qui peuvent s'emmêler. Leur fourrure doit être brossée tous les jours.

Pas de moustache

Peau sans poil et ridée

Queue absente

Bizarre, bizarre…

Certains chats ont un aspect étrange. Celui de l'île de Man ressemble à n'importe quel chat, mais il n'a pas de queue! Les chats polydactyles naissent avec des doigts en surnombre. Au lieu de cinq sur les pattes de devant ils en ont jusqu'à sept. Le plus surprenant est le sphinx qui est entièrement chauve.

Chat polydactyle

Le chaton a sept orteils

Chat de l'île de Man (ou Manx)

Sphinx

Les choses à préparer

Pour accueillir ton nouvel ami, il te faut un certain nombre de choses. Tout doit être fin prêt avant que tu n'ailles le chercher. Comme un chaton joue avec tout ce qu'il trouve, range soigneusement ce qui pourrait lui faire mal.

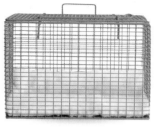

Cage métallique

Boîte de transport en plastique

Le panier de transport

Tu en auras besoin pour ramener ton chaton. Demande un panier spécial à ton vétérinaire. Les cages métalliques durent plus longtemps.

Coffre en plastique

Bac à litière

Terre

Particules de bois

Argile

Un lit douillet

Ton chaton dormira n'importe où. Mais il aimera aussi se pelotonner dans un lit chaud, douillet et bien à lui.

Lit couvert

Sa vaisselle

Achète un bol pour l'eau, un plat pour la nourriture et une boîte en plastique pour stocker les produits secs. Il te faut aussi une cuiller et une fourchette.

Papier

Sacs à litière

Pelle à remplir

Pelle à vider

Boîte étanche

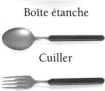

Cuiller

Fourchette

Bol pour l'eau

Plat pour la nourriture

Litière et bac à litière

Les chatons et les chats qui vivent à l'intérieur font leurs besoins dans un bac à litière. Achètes-en un en plastique ainsi que des sacs de litière. Il te faut une pelle pour remplir le bac et une autre pour le vider et le nettoyer. Garde en réserve de la litière fraîche. Trouve des vieux papiers pour mettre sous le bac et protéger le sol.

Collier en nylon

Plaque d'identité en métal

Plaque d'identité en métal

Le collier

Choisis-en un avec un élastique. Si le collier se serre, l'élastique se tend. Ton chat peut dégager sa tête pour s'en débarrasser.

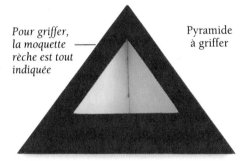

Peigne

Brosse

Serviette

Les objets de toilette

Il te faut un peigne fin et une brosse douce. Ton chat doit avoir aussi sa propre serviette.

Pour griffer, la moquette rèche est tout indiquée

Pyramide à griffer

Pyramide à griffer

Ton chat voudra se servir de ses griffes. Achète ou construis un panneau à griffer pour qu'il n'abîme pas les meubles.

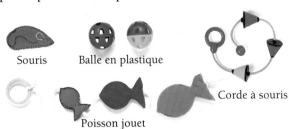

Souris

Balle en plastique

Corde à souris

Poisson jouet

Jouets pour ton chat

Il aime jouer avec des choses qui bougent ou font du bruit. Achète ou construis-lui toi-même des petits jouets solides.

La plaque d'identité

Achètes-en une pour l'accrocher au collier. Fais graver ton adresse et ton téléphone.

La chatière peut s'ouvrir avec la tête

La chatière

Ton chat aime entrer et sortir quand il en a envie. Achète une chatière transparente pour l'adapter à la porte de ta maison.

Seau

Gants de caoutchouc

Brosse à nettoyer

Désinfectant

Désodorisant

Vite propre

Ton chat fera parfois des saletés. Il te faut un certain nombre de choses pour nettoyer derrière lui. N'oublie pas de mettre des gants de caoutchouc pour le faire.

Danger !

Ce qui peut leur faire mal :

Les fils électriques sont dangereux

Laine et aiguilles peuvent être avalées

À la maison et au jardin, les plantes qui sont nocives

Les produits d'entretien le rendent malade

Les chats aiment la chaleur, mais ils peuvent se brûler

Les déchets peuvent l'étrangler

Choisir ton chat

Tu peux choisir un chaton dans une portée quand il a environ quatre semaines, mais tu devras attendre qu'il ait six semaines et puisse quitter sa mère. Va voir la maman chat pour savoir de quoi ton chaton aura l'air quand il sera adulte. Assure-toi aussi qu'il est en bonne santé.

Le chaton observe le jouet

Adorable chaton
Réfléchis bien avant de te laisser séduire. Cela va beaucoup t'occuper de jouer avec lui et de le surveiller.

Vieux et sage
Un chat adulte peut être aussi affectueux qu'un chaton, mais il est plus indépendant.

Où trouver ton nouveau compagnon
- La chatte d'un ami a des petits.
- Les éleveurs vendent des chats de race.
- Un refuge d'animaux héberge des chats de tous âges qui cherchent une famille.

Chaton curieux

Chaton espiègle

Chaton craintif

1 **Lorsque le propriétaire** t'emmène voir la portée, observe-la d'un endroit d'où les petits ne peuvent te voir. Cherche un beau chaton qui aime jouer avec ses frères et sœurs, mais qui ne soit pas une petite brute.

2 **Dis bonjour à la maman.** Est-elle affectueuse? Elle se mettra à ronronner quand tu la caresseras.

Caresse la maman chat

Le chaton se serre contre sa mère

3 **Observe les chatons** pour voir celui qui est le plus amical. Ils penseront que tu es une montagne et te grimperont dessus de tous les côtés. Attrape celui qui te plaît.

Le chaton se blottit contre toi

4 **Demande au propriétaire** d'attraper ton chaton préféré et de voir de quel sexe il est. Il doit avoir les yeux clairs et le nez propre. Sa bouche doit être rose pâle et ses dents bien blanches. Assure-toi que son pelage est propre, jusque sous la queue.

Vérifie la propreté des oreilles

Tiens-le en l'air pour bien le voir

Notes
Note par écrit ce qu'il mange, les médicaments qu'on lui a donnés et les piqûres qu'on lui a faites. Ton vétérinaire voudra le savoir.

Deux doigts doivent passer sous le collier

5 **Retourne chercher** ton chaton quand il a six semaines au moins. Prends avec toi son collier, sa plaque d'identité et un panier de transport pour l'installer quand tu le ramèneras.

Déplie le panier de transport

🐾**Garçons ou filles**
Les chats sont en général plus grands que les chattes. Ils s'éloignent davantage de la maison et sont plus batailleurs. Tu pourras faire stériliser ton chat à six mois (p. 40).

Bienvenue à la maison

Pour aider ton chat à s'installer vite, prépare tout avant son arrivée. Les premiers jours, laisse-le dans la même pièce, aux fenêtres bien fermées. Ensuite, il pourra explorer toute la maison. Mais il doit toujours pouvoir retourner à son lit.

Chatte

Chat

Halte chez le vétérinaire
Arrange-toi pour t'y arrêter en revenant d'aller chercher ton chaton. Le vétérinaire l'examinera à fond pour s'assurer qu'il est en bonne santé. Il te dira aussi s'il faut lui faire des piqûres.

De quel sexe ?
Quand un chaton est tout petit, il est parfois difficile de dire si c'est un mâle ou une femelle. Demande à ton vétérinaire de le vérifier.

Comment le porter
Si tu veux l'attraper pour le caresser ou le consoler, mets une main sous les pattes de derrière, l'autre sous le ventre, puis soulève-le. S'il commence à se tortiller, repose-le doucement.

Mets une main doucement sous sa poitrine

Mets une main sous ses pattes de derrière

Rencontre avec un chien

Ton chat et ton chien peuvent devenir de très bons amis. Laisse-les faire connaissance dès que ton chat est installé. Surveille-les bien au cas où ils se battraient.

Le chaton intimidé se détourne

Le chat dévisage l'étranger

Il renifle son nouvel ami

Le chat observe le chien

Rencontre avec un autre chat

Si tu as déjà un chat, laisse ton chaton faire lentement sa connaissance. Ne les laisse pas seuls ensemble. Si ton chaton est trop joueur, l'autre chat peut s'attaquer à lui.

Préparation de la litière

Une fois le bac à litière rempli, place-le dans un autre coin de la pièce. Ton chaton n'aime pas manger et dormir près de cet endroit.

Un sac plein de litière

Remplis le bac

Son coin à lui

Choisis un endroit bien chaud dans la pièce pour installer son lit et ses plats. Remplis d'eau son bol. Tu peux aussi lui laisser un peu de nourriture sèche (p. 24).

Un jouet suspendu pour taper dessus

Le toit au-dessus du lit le met en sécurité

Un lit bien chaud

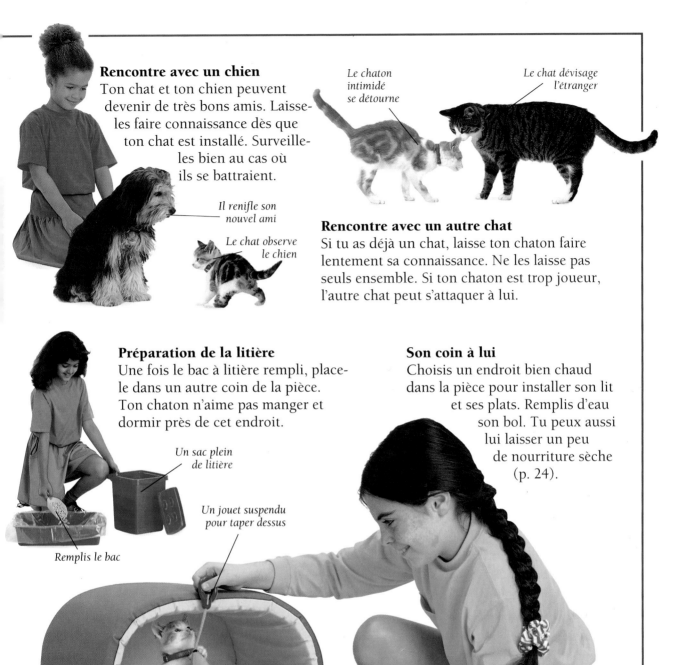

23

Son alimentation

Ton chat est carnivore – c'est-à-dire mangeur de viande –, mais il peut aussi manger un peu de légumes ou d'herbe. Pour qu'il reste en bonne santé, mieux vaut lui acheter des aliments, humides ou secs, conçus spécialement pour les chats. Demande à ton vétérinaire de t'aider à choisir ce qui lui convient.

Le carnivore

Si ton chat ne mangeait pas de viande, il tomberait malade. Il se sert de ses canines pointues pour la découper.

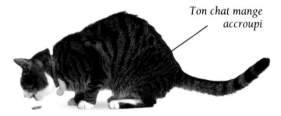

Ton chat mange accroupi

Des dents pour hacher

Ses dents de côté, très coupantes, hachent finement la nourriture.

Aliment sec «complet»

Aliment humide «complet»

Tout en un

La façon la plus simple de nourrir ton chat, c'est d'acheter un aliment complet. Humide ou sec, il contient tout ce qu'il lui faut. Les chats adorent croquer les aliments secs.

Biscuit sec

Aliment humide

Aliments complémentaires

Moitié moitié

Pour une alimentation saine, les aliments «complémentaires» doivent être mélangés à d'autres.

Vérifie le mot «chat»

Un aliment «complet» ne nécessite rien d'autre

Aliment complet convenant aux chats de plus d'un an.

Acheter sa nourriture

Vérifie sur l'emballage que c'est un aliment pour chat, contenant de la viande. L'étiquette ci-contre est celle d'une nourriture pour chat adulte. Ton chaton a besoin d'aliments pour chats en cours de croissance.

ALIMENT POUR CHAT

Aliment testé

Servez une quantité suffisante pour deux repas.

Ingrédients : viande et matières grasses.
Protéines : –%. Matières grasses : –%.
Cellulose : –%. Eau : –%. Vitamines : A D E
Laisser toujours de l'eau fraîche à disposition

Date limite

Consommer avant...

Poids

grammes

Code barres

Note bien le mot «testé»

Label de recyclage

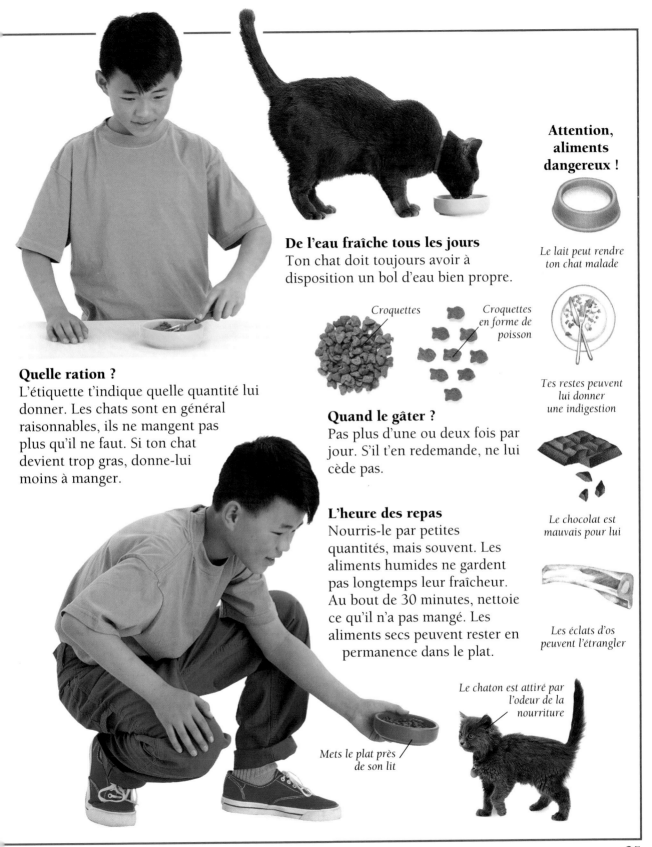

De l'eau fraîche tous les jours
Ton chat doit toujours avoir à disposition un bol d'eau bien propre.

Croquettes

Croquettes en forme de poisson

Quelle ration ?
L'étiquette t'indique quelle quantité lui donner. Les chats sont en général raisonnables, ils ne mangent pas plus qu'il ne faut. Si ton chat devient trop gras, donne-lui moins à manger.

Quand le gâter ?
Pas plus d'une ou deux fois par jour. S'il t'en redemande, ne lui cède pas.

L'heure des repas
Nourris-le par petites quantités, mais souvent. Les aliments humides ne gardent pas longtemps leur fraîcheur. Au bout de 30 minutes, nettoie ce qu'il n'a pas mangé. Les aliments secs peuvent rester en permanence dans le plat.

Attention, aliments dangereux !

Le lait peut rendre ton chat malade

Tes restes peuvent lui donner une indigestion

Le chocolat est mauvais pour lui

Les éclats d'os peuvent l'étrangler

Le chaton est attiré par l'odeur de la nourriture

Mets le plat près de son lit

Chat heureux

Un chat a bien des façons de montrer qu'il est heureux. Il ne sourit pas, ne rit pas, ne parle pas. En revanche, il fait pas mal de bruits différents. Écoute-le attentivement : tu l'entendras souvent ronronner ou chantonner. Tu le verras jouer et dormir et tu le sentiras se frotter contre toi. Tu apprendras vite à reconnaître quand ton chat est heureux.

Le chat se lèche la patte pour s'essuyer ensuite la figure

Un signe de contentement
Même s'il est propre, un chat peut se mettre à faire sa toilette pour montrer qu'il est heureux. Parfois aussi, c'est pour se calmer parce qu'il est inquiet.

Frottement de tête
Pour te remercier, ton chat se frotte contre toi. C'est sa façon de te dire bonjour. Il essaie d'être le plus près possible de toi.

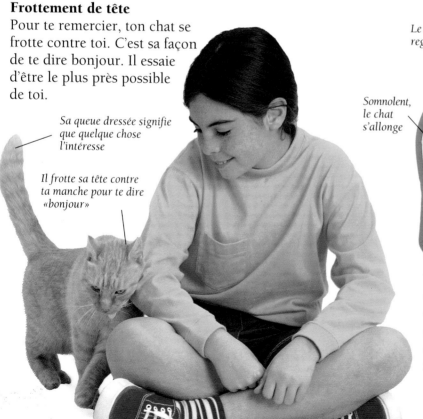

Sa queue dressée signifie que quelque chose l'intéresse

Il frotte sa tête contre ta manche pour te dire «bonjour»

Le chat entend un bruit et regarde alentour

Somnolent, le chat s'allonge

Une sieste de chat
Quand les chats sont étendus et somnolents, ils ferment à moitié les yeux. Si quelque chose les dérange, ils se redressent et observent.

Marquer son amitié

Puisqu'il t'aime, ton chat veut être sûr de te reconnaître la prochaine fois qu'il te verra. Il frotte son corps contre toi et entoure tes jambes avec sa queue pour y déposer son invisible odeur.

Il s'enroule autour de tes jambes pour y laisser son odeur

Heureux, il se débat avec son jouet préféré

Ronronner de plaisir

Quand tu le vois jouer, tu peux être sûr qu'il est heureux. Tu l'entendras souvent aussi ronronner pour montrer qu'il est content.

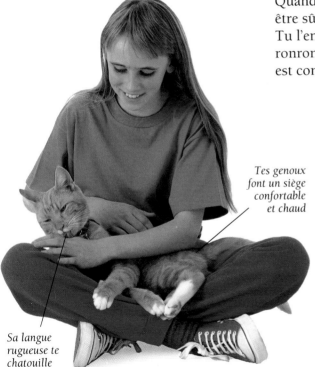

Tes genoux font un siège confortable et chaud

Parler chat

Quand ton chat est content, tu peux l'entendre : il ronronne, chantonne ou miaule. Essaie de déchiffrer exactement ce qu'il cherche à te dire.

Sa langue rugueuse te chatouille

Confortablement assis

Sur tes genoux, ton chat léchera peut-être ta peau pour la nettoyer. Il peut aussi te planter ses griffes dans les jambes. Ce n'est pas pour te faire mal, mais pour te dire qu'il t'aime.

Ce siamois est heureux de te voir

Miaulement de bonheur

Chat effrayé

Ton chat est plutôt peureux. Si quelque chose l'effraie, il s'enfuit et se cache. Il n'aime pas se battre. Si un autre chat vient sur son territoire, il fait semblant d'être redoutable. Il se gonfle jusqu'à devenir énorme, se servant de tout son corps pour signifier «va-t'en !». Si l'ennemi ne s'en va pas, il se met parfois en colère. Il se roule par terre et montre griffes et dents en produisant un sifflement.

Qu'est-ce qui lui fait peur ?

Les détonations d'un feu d'artifice

Les chiens qu'il ne connaît pas

Certains chats détestent voyager

L'air effrayant

Tu verras parfois ton chat changer d'aspect. Ses poils se hérissent, son dos s'incurve. Ses pupilles en fentes deviennent rondes. C'est qu'il a peur. Il se fait aussi gros qu'il peut pour effrayer à son tour son assaillant.

Pour le calmer
- Éteins la lumière.
- Parle d'une voix douce.
- Donne-lui à manger.
- Enlève ce qui lui fait peur.

Les poils se dressent

Son dos arqué le fait paraître plus gros

Sa pupille noire s'agrandit

Les poils de la queue se hérissent

La patte est ferme sur le sol

Il regarde fixement en avant

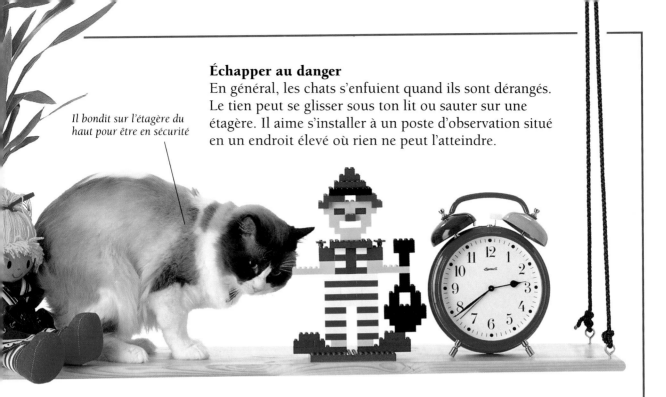

Échapper au danger

En général, les chats s'enfuient quand ils sont dérangés. Le tien peut se glisser sous ton lit ou sauter sur une étagère. Il aime s'installer à un poste d'observation situé en un endroit élevé où rien ne peut l'atteindre.

Il bondit sur l'étagère du haut pour être en sécurité

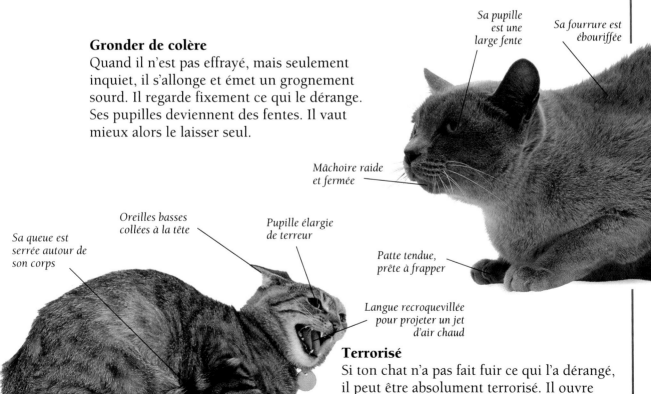

Gronder de colère

Quand il n'est pas effrayé, mais seulement inquiet, il s'allonge et émet un grognement sourd. Il regarde fixement ce qui le dérange. Ses pupilles deviennent des fentes. Il vaut mieux alors le laisser seul.

Sa pupille est une large fente

Sa fourrure est ébouriffée

Mâchoire raide et fermée

Patte tendue, prête à frapper

Oreilles basses collées à la tête

Pupille élargie de terreur

Sa queue est serrée autour de son corps

Langue recroquevillée pour projeter un jet d'air chaud

Terrorisé

Si ton chat n'a pas fait fuir ce qui l'a dérangé, il peut être absolument terrorisé. Il ouvre grand sa bouche pour montrer ses dents aiguisées et siffle bruyamment.

Dresser ton chat

Tu ne pourras pas le dresser à s'asseoir ou à rester tranquille comme un chien. Mais tu peux lui enseigner certaines choses : où faire ses besoins, répondre à son nom, se servir d'une chatière… Et il te surprendra avec tout ce qu'il apprendra de lui-même.

Maman chat se servant de la litière

Les chatons observent leur mère

Ce que lui apprend sa mère
Les jeunes chatons observent leur mère aller faire ses besoins dans la litière. Ils apprennent vite à l'utiliser eux aussi.

La propreté
Toutes les demi-heures, quand ton chaton est réveillé, mets-le doucement sur la litière. Il préfère que le bac soit placé dans un coin tranquille de la pièce, loin de sa nourriture.

Pose-le doucement sur sa litière

Bac rempli de litière fraîche

Sac de litière

Nettoyer la litière
Quand ton chaton a fait ses besoins, enlève la litière souillée. Il ne fera pas dans une litière sale. Quand presque toute la litière est consommée, nettoie et remplis le bac.

Porte toujours des gants de caoutchouc

Enlève la litière sale avec la pelle

Des accidents arriveront
Tous les jeunes chats ont des accidents. Il faut alors nettoyer les saletés. Frotte bien le sol avec de l'eau et un désinfectant. Puis vaporise un désodorisant. Si ton chaton continuait à sentir les saletés au même endroit, il recommencerait sans doute.

Désodorisant

Porte tes gants

1 Pour apprendre à ton chat à utiliser la chatière, maintiens l'abattant ouvert avec un bâton. Il découvrira qu'il peut aussi glisser la tête dehors pour regarder aux alentours.

Utilise un bâton pour soulever l'abattant

2 Ensuite, attire-le de l'autre côté de la porte. Ouvre légèrement l'abattant et montre-lui de la nourriture. Il poussera l'abattant avec la tête et sautera dans l'ouverture.

Il franchit prudemment la chatière

Un plat de nourriture pour récompense

3 Ne ferme pas la chatière au verrou pendant la journée. Ton chat apprendra vite à s'en servir sans ton aide. Bientôt, il ira et viendra à sa guise.

Il s'élance à travers la chatière

Comment le récompenser

🐾 Fais-lui un gros câlin.
🐾 Joue à un jeu avec lui.
🐾 Donne-lui une gâterie.

La bonne punition

Chasse-le quand tu le surprends en train de faire une bêtise.

Éclabousse-le avec un peu d'eau. Il déteste être mouillé

Un grand bruit lui fait peur

Comment le gronder

S'il a été méchant, dis «non» sévèrement. Ne le frappe jamais. Si tu le faisais, il y réfléchirait à deux fois avant de s'approcher de toi.

Pointe du doigt le méchant chat

Le méchant chat essaie de manger une plante

Le chat d'intérieur

Les chats passent beaucoup de temps à l'intérieur. Ils aiment y trouver les endroits les plus chauds pour se pelotonner et dormir – pas forcément dans leurs lits. Peut-être le tien ne peut-il aller dehors. Mais il y a beaucoup de choses qu'il peut faire à la maison pour rester en forme.

Terrain d'aventures
Tu peux acheter ou construire un espace de jeu pour ton chat. Il se compose d'un châssis pour grimper, d'un panneau à griffer et d'une aire de jeu. Il devra être solide car les chats détestent marcher sur des choses qui bougent.

Une maison en carton, amusante pour se cacher

Plate-forme d'observation

Il apparaît hors du tube

Lance la balle pour qu'il la frappe

De la grosse corde donne une bonne prise pour grimper

Un tube doublé de fourrure fait un lit douillet

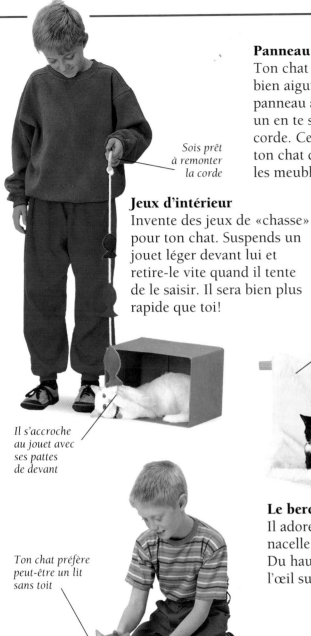

Sois prêt à remonter la corde

Panneau à griffer
Ton chat doit garder ses griffes bien aiguisées. Achète un panneau à griffer ou fais-en un en te servant de la corde. Cela empêchera ton chat d'abîmer les meubles.

Le chat fait ses griffes sur la moquette

Pyramide de carton recouverte de moquette

Jeux d'intérieur
Invente des jeux de «chasse» pour ton chat. Suspends un jouet léger devant lui et retire-le vite quand il tente de le saisir. Il sera bien plus rapide que toi!

Il s'accroche au jouet avec ses pattes de devant

De la fourrure pour que le berceau reste chaud

Le berceau du chat
Il adore paresser dans une nacelle suspendue au radiateur. Du haut de ce lit douillet, il aura l'œil sur tout.

Attention
Il peut s'endormir dans des endroits dangereux

Ferme la porte de la machine à laver

Vérifie qu'il ne peut pas grimper dans la voiture

Mets un pare-feu devant la cheminée

Ton chat préfère peut-être un lit sans toit

Il se pelotonne dans le panier

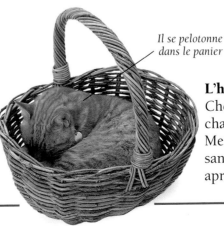

Il dort partout !
Parfois, tu trouveras ton chat endormi dans les endroits les plus invraisemblables. Aussi, si tu le crois perdu, pense à regarder partout.

L'heure du coucher
Cherche l'endroit où ton chat préfère dormir. Mets-y son lit. Il changera sans doute de place après quelque temps.

Dehors

Une semaine après leurs piqûres (p. 22), les chats peuvent aller dehors. Le tien restera peut-être dans le jardin. Peut-être aussi ira-t-il explorer les alentours pour s'exercer aux techniques de la chasse et marquer son territoire. Il griffe et se frotte contre toutes sortes de choses pour y laisser son odeur. Il fait des patrouilles régulières et se bat contre les envahisseurs (p. 28).

Apprendre à chasser

Observe ton chat s'approcher doucement, attendre le bon moment, puis bondir sur une feuille qui vole dans le vent. Il est en train de s'entraîner à la chasse.

Il traque les feuilles bruissantes

Sa patte est prête à frapper

Il se faufile le long de la barrière

L'athlète

Les chats ont un excellent sens de l'équilibre. Il est rare qu'ils tombent d'un endroit élevé. Ils peuvent courir sans vertige sur des rebords très étroits. Quand ils sautent, ils s'accroupissent puis bondissent en l'air en détendant leurs puissantes pattes de derrière.

Les pieds devant

Quand les chats sautent par terre, ils atterrissent toujours sur leurs pieds. Les coussinets de leurs pattes de devant amortissent l'atterrissage.

Pattes de derrière repliées

Ses pattes de devant absorbent le choc

Il te regarde d'en haut

Monter bien haut

Ton chat aime à observer depuis le plus haut endroit qu'il peut atteindre. Il se sert de ses griffes acérées pour se hisser sur un arbre. Pour descendre, il dégringole ou saute.

Un endroit privé pour ses besoins

Mâles ou femelles, les chats creusent un trou pour leurs besoins

Ils s'accroupissent sur le trou. Beaucoup enterrent leurs crottes

Un signe l'encouragera à sauter s'il est bloqué

Il aiguise ses griffes sur l'écorce

Écorce à griffer

Un tronc d'arbre est un excellent panneau à griffer. Les fines éraflures sont autant de messages. Ils avertissent les autres chats que cet endroit fait partie du territoire de ton chat.

Ils éclaboussent parfois d'urine les choses qu'ils veulent marquer

Pour griffer, il se dresse sur ses pattes de derrière

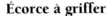

Il se frotte à une plante pour y laisser son odeur

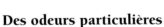

Des odeurs particulières

Tu le verras souvent se frotter contre toutes sortes de choses dans le jardin pour y laisser son odeur à lui. Ainsi, les autres chats peuvent connaître le sexe du tien et savoir quand il est passé par là.

Une bonne toilette

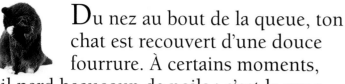

Du nez au bout de la queue, ton chat est recouvert d'une douce fourrure. À certains moments, il perd beaucoup de poils : c'est la mue. Régulièrement, il se lèche le pelage pour vérifier qu'il est propre et éliminer les poils qui sont tombés. Fais-lui tous les jours sa toilette. Son pelage restera en bon état et il prendra l'habitude d'être manipulé.

Il se lèche la patte pour se laver la figure

Se laver la figure

Ton chat le fait d'une façon astucieuse. Il utilise sa salive à la place de l'eau et du savon et sa patte comme gant de toilette. Il se frotte d'abord les joues, en faisant des ronds. Puis il se nettoie derrière les oreilles.

Il tourne la tête dans tous les sens

Les dents de devant éliminent les saletés

Enlever les petites saletés

Des saletés ou de minuscules brindilles peuvent se prendre dans sa fourrure. Il peut aussi y avoir des nœuds. Ton chat se sert de ses dents pour les retirer et débrouiller les nœuds de poils.

❧ Boules de poils

Quand il fait sa toilette, ton chat avale des poils. En général, ils sont directement éliminés. Mais les chats à poils longs et ceux qui muent peuvent en avaler une trop grande quantité. Ils forment alors une boule dans son ventre. Si c'est le cas pour le tien, va voir ton vétérinaire.

Il arque le dos pour se nettoyer la patte

Il soulève ses pattes

Sa langue rugueuse frotte l'intérieur des pattes

Toilette en souplesse

La surface de sa langue est couverte de petites pointes très dures. Il s'en sert comme d'un peigne. Son corps est très souple; il peut en atteindre chaque partie pour la nettoyer.

Pour un chat à poils longs

Commence par lui brosser le dos, de la tête à la queue. Ton chat adore sentir la brosse lui caresser le dos. Parfois même, il se met à ronronner.

Le coup de peigne

Quand tu as fini de le brosser, passe doucement le peigne dans sa fourrure. Ne sois pas brusque. Si tu trouves un nœud, défais-le avec tes doigts. Assure-toi que tu as peigné tout son pelage, sans oublier le ventre.

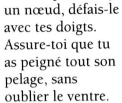

Maintiens-le sur tes genoux

Ravi, il se met à ronronner

Peigne chaque partie après l'autre

Pour les poils courts

Un rapide coup de brosse quotidien suffit. Pendant que tu le lui donnes, tu peux vérifier l'état de son pelage.

Le séchage

Si ton chat est mouillé, sèche-le avec une serviette à lui. Assieds-le entre tes genoux et frotte-le entièrement. Les coussinets de ses pattes peuvent être boueux. N'oublie pas de les essuyer.

Brosse d'abord son dos

Enveloppe-le dans la serviette

Ton chaton devient grand

Toi et ton chat formez une équipe pour la vie. Tu devras t'en occuper jour après jour. Tant qu'il est petit, tu dois prendre soin de lui comme le faisait sa mère. Un beau jour, il aura un an et il sera adulte. Il fera beaucoup de choses par lui-même, mais il aimera toujours être avec toi. Il vivra longtemps. Devenu vieux, il aura besoin de soins particuliers.

L'œil du petit chaton est encore fermé

S'occuper d'un chaton
Complètement désarmé, un chaton a besoin de sa mère pour le nourrir et nettoyer derrière lui. Elle lui apprend à faire sa toilette, à chasser et à utiliser la litière.

L'utilité du jeu
Dès qu'ils ont quelques semaines, les chatons jouent ensemble. Ils apprennent toutes les techniques qui leur seront utiles plus tard. Vers 14 semaines, ils deviennent aussi agiles et gracieux que les chats adultes.

Les chatons jouent à se battre pour s'exercer à la chasse

Rosette pour la propriétaire du gagnant

Pelage bien toiletté

Poupée de chiffon ayant remporté le prix

Insouciant comme un chaton
Devenu adulte, ton chat sait qu'il peut compter sur toi pour le nourrir et pour lui assurer un bon lit. Il peut passer son temps à jouer avec toi puisqu'il n'a pas besoin de chasser.

Exposer ton chat
Tu peux présenter ton chat à une exposition. Le juge donne des prix aux meilleurs représentants de leur type ou de leur race. Ton chat peut aussi gagner le prix du ronronnement le plus sonore ou de la queue la plus touffue!

Sa queue l'aide à garder l'équilibre

S'occuper d'un vieux chat

Quand il devient vieux, ton chat a besoin de plus de sommeil. Il peut aussi avoir du mal à atteindre certaines parties de son pelage, de sorte qu'il faut l'aider pour sa toilette. Fais-le examiner régulièrement par le vétérinaire.

Ne dérange pas un vieux chat qui dort ou se repose

Remue la ficelle pour faire bouger le jouet

Ses pattes agrippent le jouet

Il se dresse pour attraper le jouet

Si tu le quittes

Loin de lui

Tu ne peux pas toujours l'emmener avec toi partout. Tu es obligé de l'abandonner quelques heures quand tu vas à l'école, et plus longtemps quand tu pars en vacances.

Pour peu de temps

Avant de le quitter, assure-toi qu'il a à manger, de l'eau fraîche, ses jouets et de la litière propre. S'il a le droit de sortir, vérifie que la chatière n'est pas verrouillée.

Surveillé par des amis

Quand tu pars en vacances, ton chat préfère rester à la maison. Essaie de trouver un ami qui pourra le surveiller tous les jours. Note par écrit tout ce qui doit être fait quotidiennement, ainsi que le nom et le téléphone de ton vétérinaire.

Pension pour chats

Si personne ne peut venir le surveiller chez toi, tu peux le mettre en pension. C'est comme un hôtel pour chats. Si tu voyages avec lui, mets-le dans un solide panier de voyage.

La stérilisation

De même que les femmes devenues adultes peuvent avoir des enfants, les chattes peuvent avoir des chatons. Il peut y avoir jusqu'à huit petits dans une portée. Réfléchis bien à ce problème. Ton vétérinaire peut opérer ton chat ou ta chatte. Après cette stérilisation, ton chat ne pourra plus avoir de petits.

Le même, mais différent

Après une stérilisation, ton chat ou ta chatte ne sera pas changé. Mais il (ou elle) se comportera de façon un peu différente. Un chat stérilisé ne court plus après les petites amies. Une chatte stérilisée n'a plus envie d'avoir de petits.

Tu ne verras aucune différence

❤ Sois responsable

Tu peux trouver amusant que ta chatte ait des petits. Mais, en général, il vaut mieux la faire stériliser. Lui permettre d'avoir des chatons peut se révéler coûteux. Il faut beaucoup d'organisation et tu devras trouver une maison accueillante pour chacun des petits.

1 **Les chatons nouveau-nés** peuvent seulement dormir, boire et ramper. Ils tètent leur mère pour boire son lait. La maman passe beaucoup de temps à les surveiller. Elle les lèche pour les tenir propres.

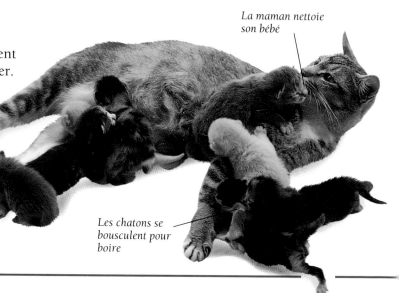

La maman nettoie son bébé

La maman écarte les pattes pour laisser les chatons boire

Les chatons se bousculent pour boire

L'œil est fermé

Son petit nez guide le chaton vers sa mère

2 **Un chaton de quatre jours** ne peut ni voir ni entendre. Il peut ramper mais il est très flageolant quand il essaie de tenir debout. À dix jours, ses yeux vont s'ouvrir et il entendra ses premiers sons.

3 **À quatre semaines,** un chaton sait marcher. Il aime jouer avec les autres chatons de la portée et avec son maître. Bientôt, il sera prêt à quitter sa mère pour une nouvelle maison.

Joue avec ton chaton pour qu'il s'habitue à toi

Sa queue se dresse pour assurer son équilibre

Son oreille perçoit le bruit du jouet

Il a appris à marcher sur la pointe des pieds

4 **À cinq mois,** un chaton devient moins joueur. Il grandit vite. Un mois plus tard, il sera capable d'engendrer des chatons et commencera à chasser avec d'autres chats. Il sera temps de le stériliser.

Quand il est à l'affût, il pointe ses oreilles

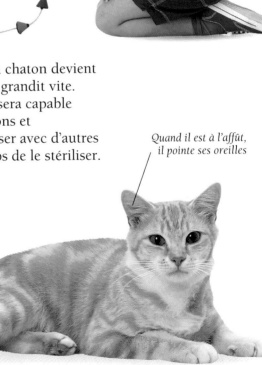

5 **À un an environ,** ton chat est adulte et très indépendant. Il patrouille régulièrement sur son territoire. Si ses sœurs n'ont pas été stérilisées, elles peuvent déjà avoir eu une portée de chatons.

Surveille sa santé

Un pelage sain est lustré

Pour être sûr qu'il est en bonne forme, tu dois surveiller ton chat correctement. Il faut bien le nourrir (p. 24), le tenir propre (p. 36) et lui faire subir quelques examens simples et rapides. Si tu le fais tous les jours, tu apprendras vite à remarquer si ton chat ne va pas bien. Si tu crois qu'il est malade, conduis-le tout de suite chez ton vétérinaire.

Repousse les poils de sa fourrure

1 **Vérifie le bon état** de son pelage. Passe tes doigts dans sa fourrure. Elle doit être sèche et sentir bon. N'oublie pas les endroits cachés, sous la queue par exemple.

Griffes de bonne dimension

Griffes trop longues

2 **Examine** soigneusement ses pattes. Assure-toi que rien n'est enfoncé dans les coussinets ou dans la fourrure entre les doigts. Presse doucement chaque patte pour faire sortir les griffes. Vérifie qu'elles sont propres et pas trop longues.

Entoure ton chat d'un bras

Tire doucement l'oreille

3 **Examine les oreilles.** Retourne la pointe et regarde le trou couvert de poils. L'oreille doit être propre. Si elle sent mauvais, ton chat est malade

4 **Vérifie ses yeux.** Une lumière vive t'aidera à mieux les examiner. Mets-lui une main sous le menton, l'autre sur le haut de la tête. Ses yeux doivent être brillants et clairs, sans larmes dans les coins.

Tiens-lui bien la tête

Ton aide-mémoire

Utilise cette liste pour garder en mémoire tout ce que tu dois faire.

Copie cette liste. Coche chaque chose quand tu as fini de la faire

Chaque jour :

Nourris ton chat
Nettoie ses plats
Donne-lui
de l'eau fraîche
Enlève sa litière sale
Brosse son pelage
Regarde sa fourrure
Examine ses pattes
Vérifie ses oreilles
et ses yeux
Regarde sa bouche
Brosse ses dents
Lave son bac à litière
s'il est sale

◆

Chaque semaine :

Pèse ton chat
Range son aire de jeux
et ses réserves de litières

◆

Chaque mois :

Donne-lui
ses médicaments
Lave sa couverture

◆

Chaque année :

Emmène ton chat
chez le vétérinaire
Piqûres

5 👫 **Assure-toi** que rien ne s'est coincé dans sa bouche. Pose-lui une main sur le nez et renverse sa tête en arrière. Sa bouche commence à s'ouvrir. Utilise ton autre main pour lui baisser la mâchoire. Sa langue doit être rose.

Les dents doivent être propres et blanches

Dentifrice pour chat

Brosse à dents à long manche

6 👫 **Brosse-lui les dents** tous les jours. Mets du dentifrice pour chat sur la brosse, puis introduis-la dans sa bouche. Brosse, d'arrière en avant, le bord extérieur des dents.

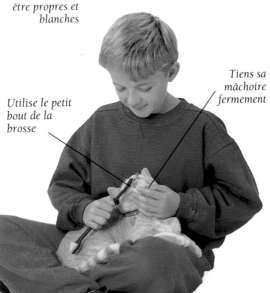

Utilise le petit bout de la brosse

Tiens sa mâchoire fermement

Chez le vétérinaire

Le vétérinaire est là pour t'aider à garder ton chat en bonne santé et heureux de vivre. Il te dira comment t'en occuper correctement. Tu peux lui poser toutes les questions que tu veux. Il fera tout ce qu'il peut pour guérir ton chat s'il est malade.

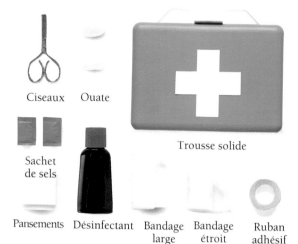

Ciseaux Ouate

Sachet de sels

Trousse solide

Pansements Désinfectant Bandage large Bandage étroit Ruban adhésif

Trousse de premiers secours

👬 Prépares-en une spécialement pour ton chat. Le vétérinaire t'expliquera comment te servir de chaque chose. Comme toi, ton chat peut parfois se couper ou s'égratigner. La trousse contient tout ce qu'il faut pour qu'il se sente mieux en attendant d'arriver chez le vétérinaire.

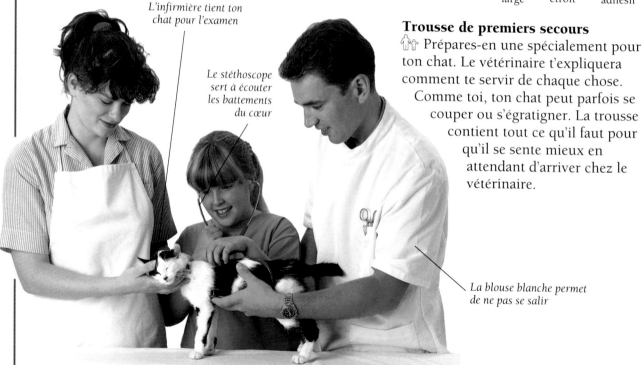

L'infirmière tient ton chat pour l'examen

Le stéthoscope sert à écouter les battements du cœur

La blouse blanche permet de ne pas se salir

L'infirmière

C'est elle qui aide ton vétérinaire. Elle connaît beaucoup de choses sur les chats. Quand tu te poses des questions sur le tien, va la voir ou téléphone-lui.

Ton vétérinaire

Il fait passer à ton chat des examens médicaux particuliers. Si ton chat est malade, il te dira quoi faire pour qu'il aille mieux. Il te donnera parfois des médicaments pour lui.

Fiche d'identité

Essaie d'écrire son journal de bord. Copie le haut de cette page ou inventes-en une toi-même. Ensuite, note tout ce qui concerne ton chat.

Oreille pointue

Poitrail blanc

Longue queue noire

Socquette blanche

Laisse un espace pour coller une photo, ou bien dessine un portrait de ton chat. Note ensuite toutes ses caractéristiques.

Nom :

Jour de naissance :

Poids :

Type de nourriture :

Jeu préféré :

Nom du vétérinaire :

Nom de l'infirmière:

Téléphone du vétérinaire :

Médicaments et piqûres

S'il a des vers ou si des insectes s'incrustent dans son pelage, ton chat risque de tomber malade. Pour le protéger, l'infirmière te donnera des médicaments pour chats. Des microbes aussi peuvent le rendre malade. Pour l'immuniser, le vétérinaire lui fera tous les ans des piqûres.

Index